HOG WASH

WILLIAM MANNETTI

Layout & format by Alexey Zgola

Printed in the United States of America.

ISBN-10: 0-9977220-3-7
ISBN-13: 978-0-9977220-3-1

A DartFrog Plus publication

DartFrog Books
PO Box 867
Manchester, VT 05254

www.DartFrogBooks.com

4
+9
13

CUIT COURT
RICT ONE

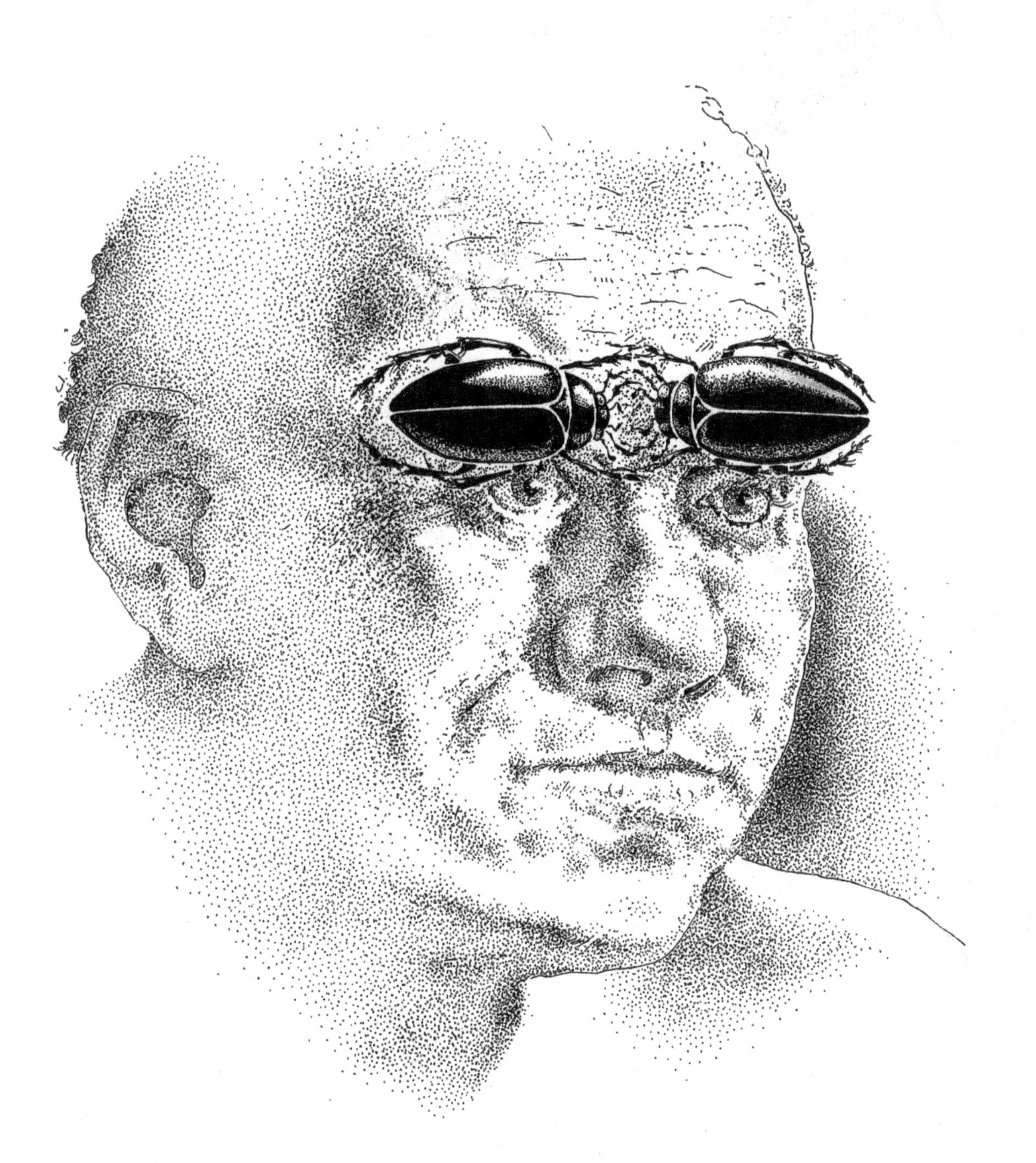

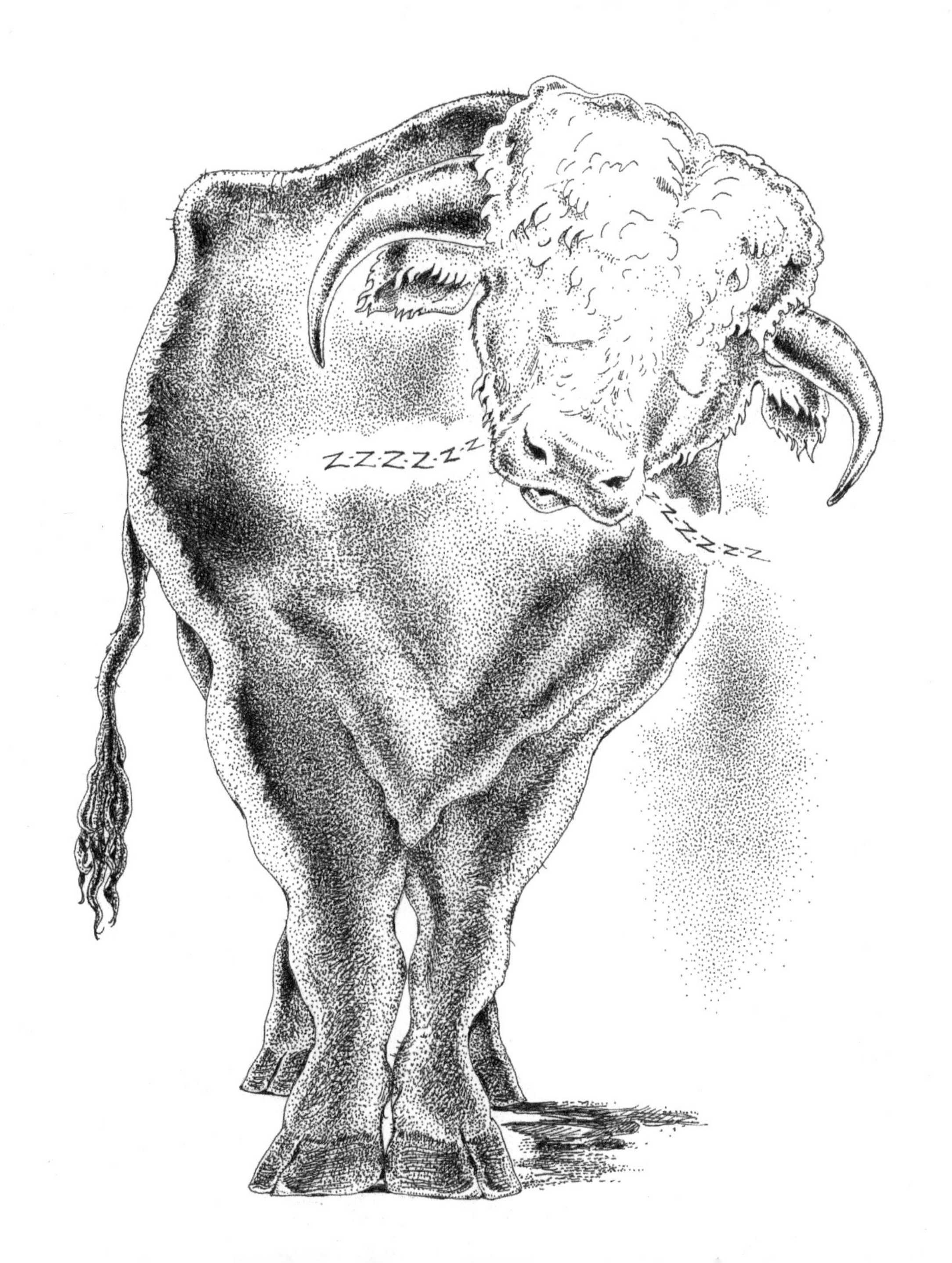
Z-Z-Z-Z-Z-Z
Z-Z-Z-Z-Z-Z

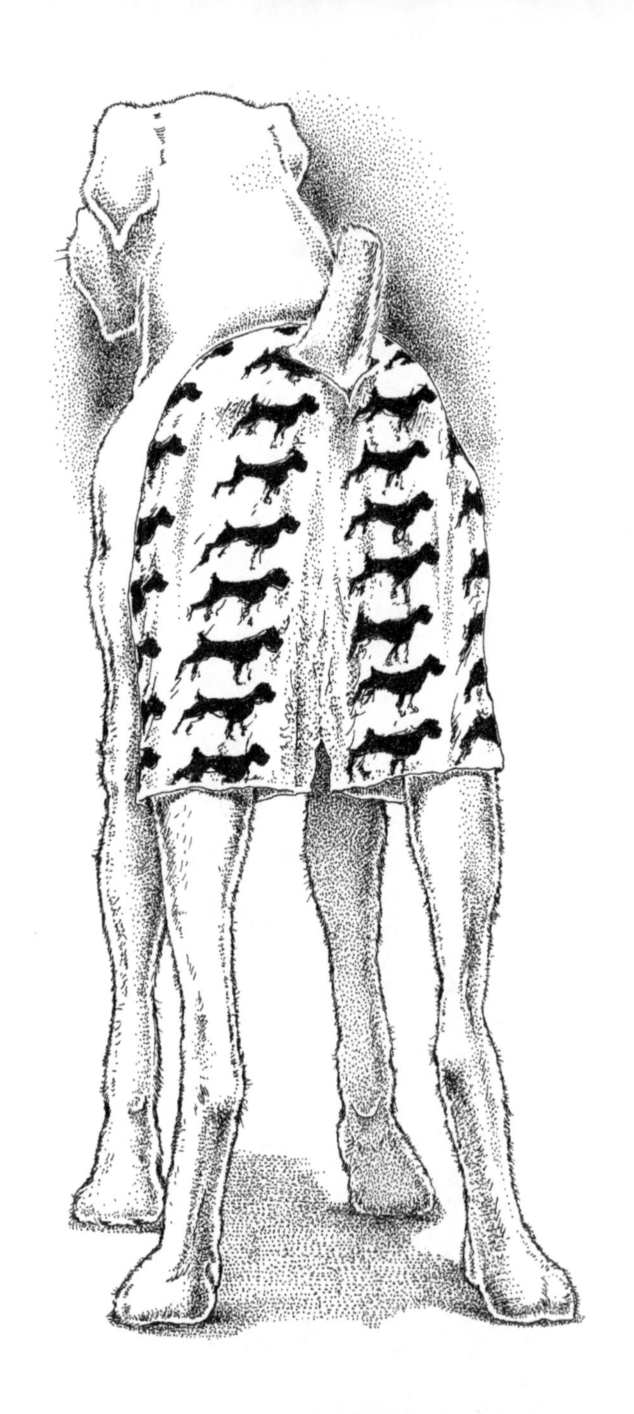

茶
艾

Shark

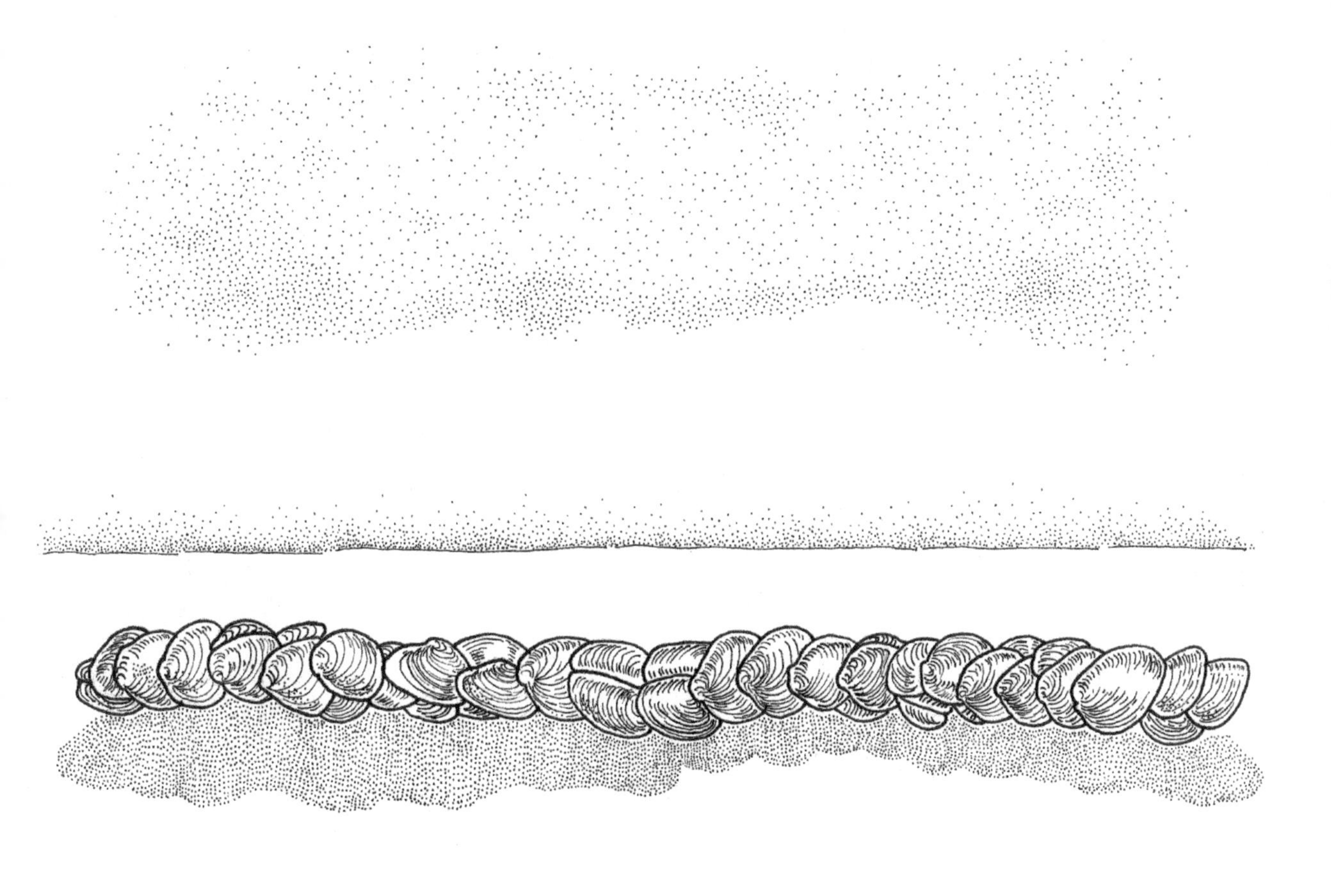

PRESS

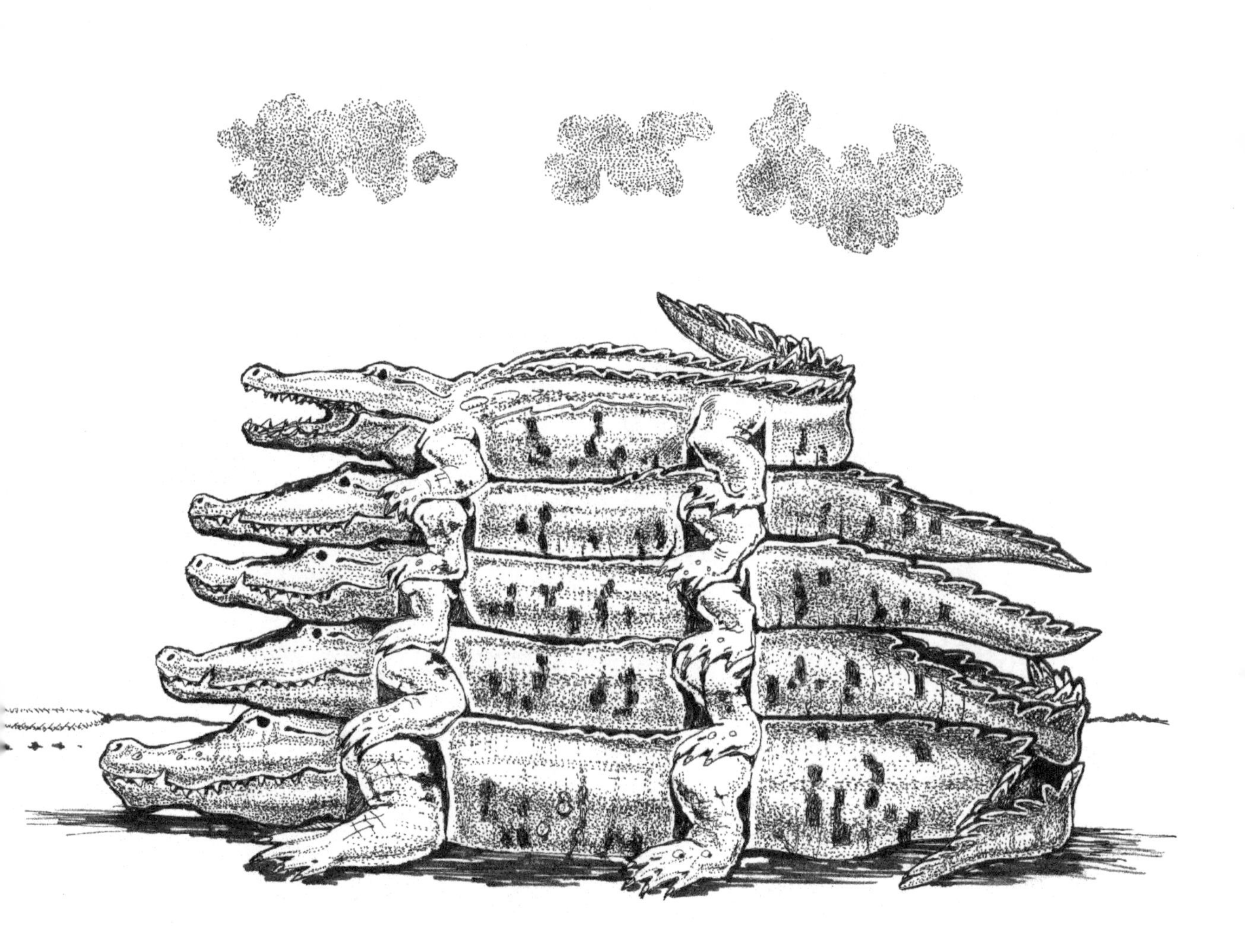

Scamp

ANIMAL CRACKERS
FINGER FOODS
SPECIAL!
BLOOD PUDDING

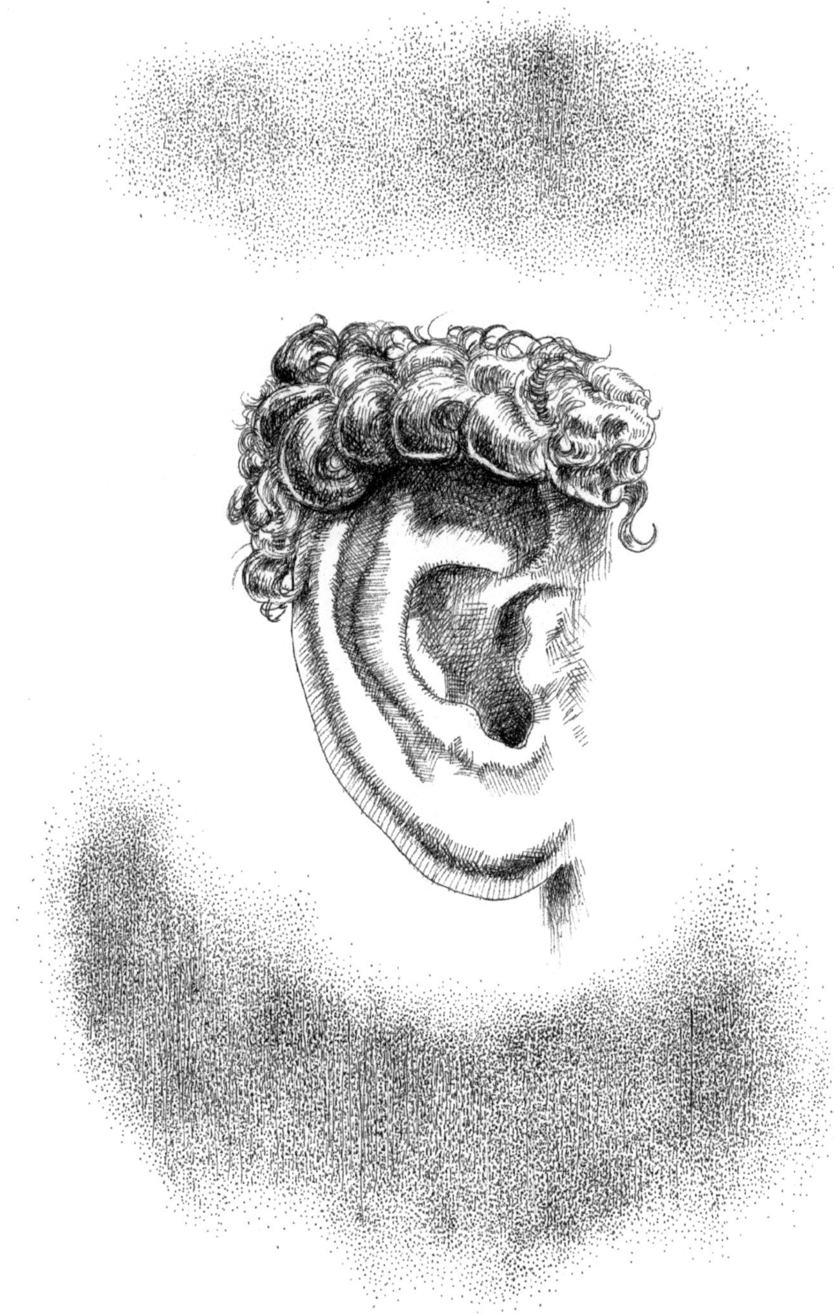

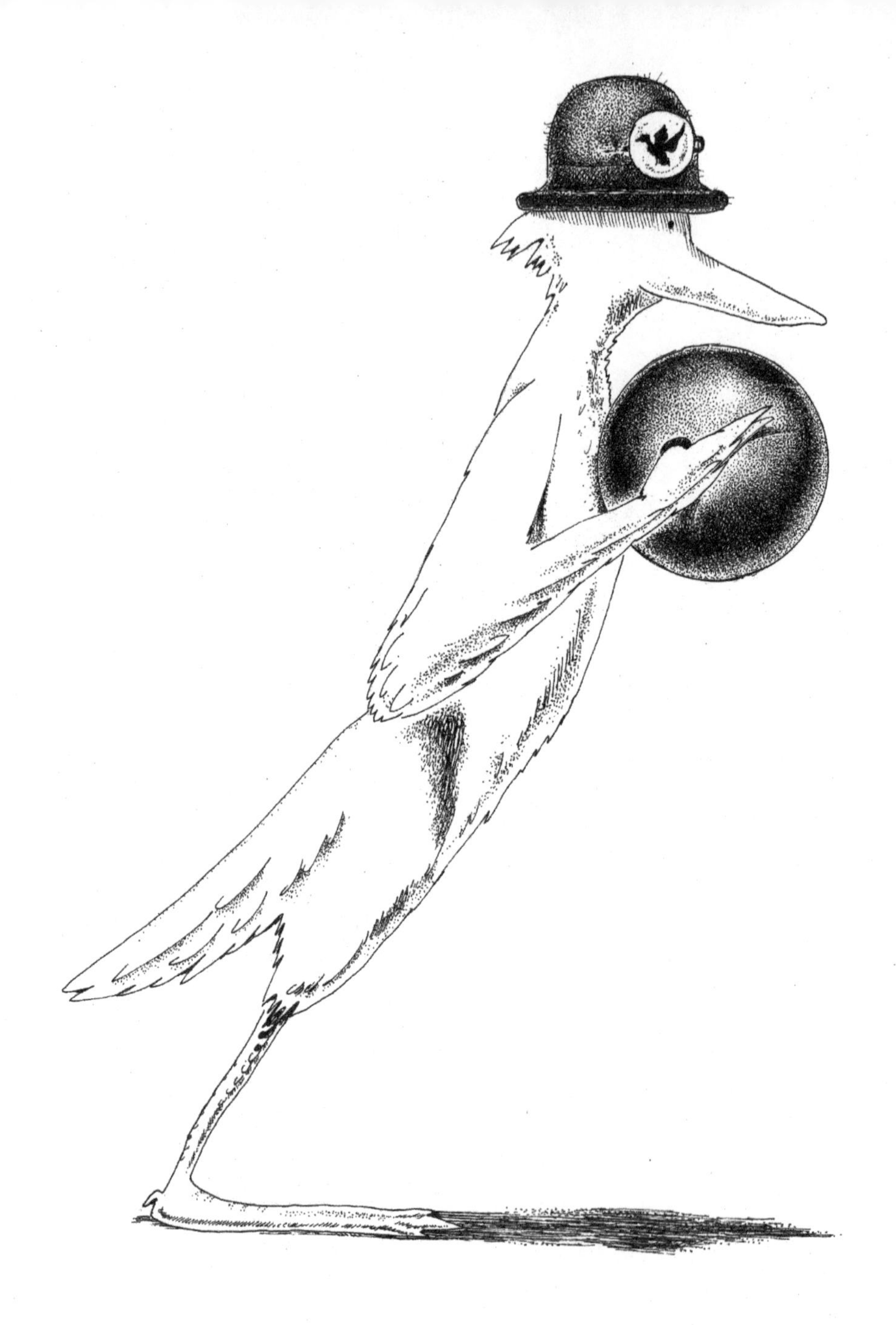

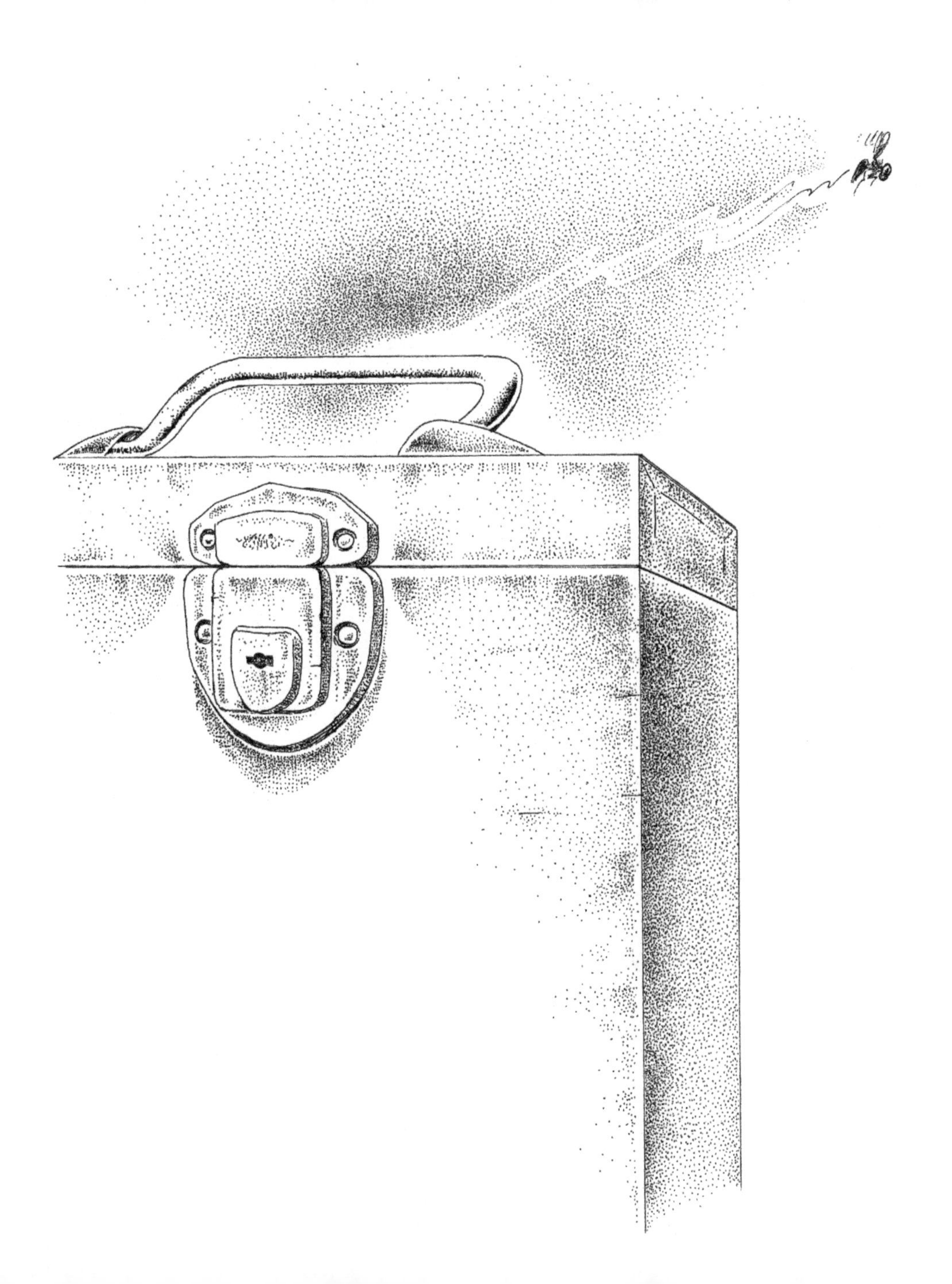

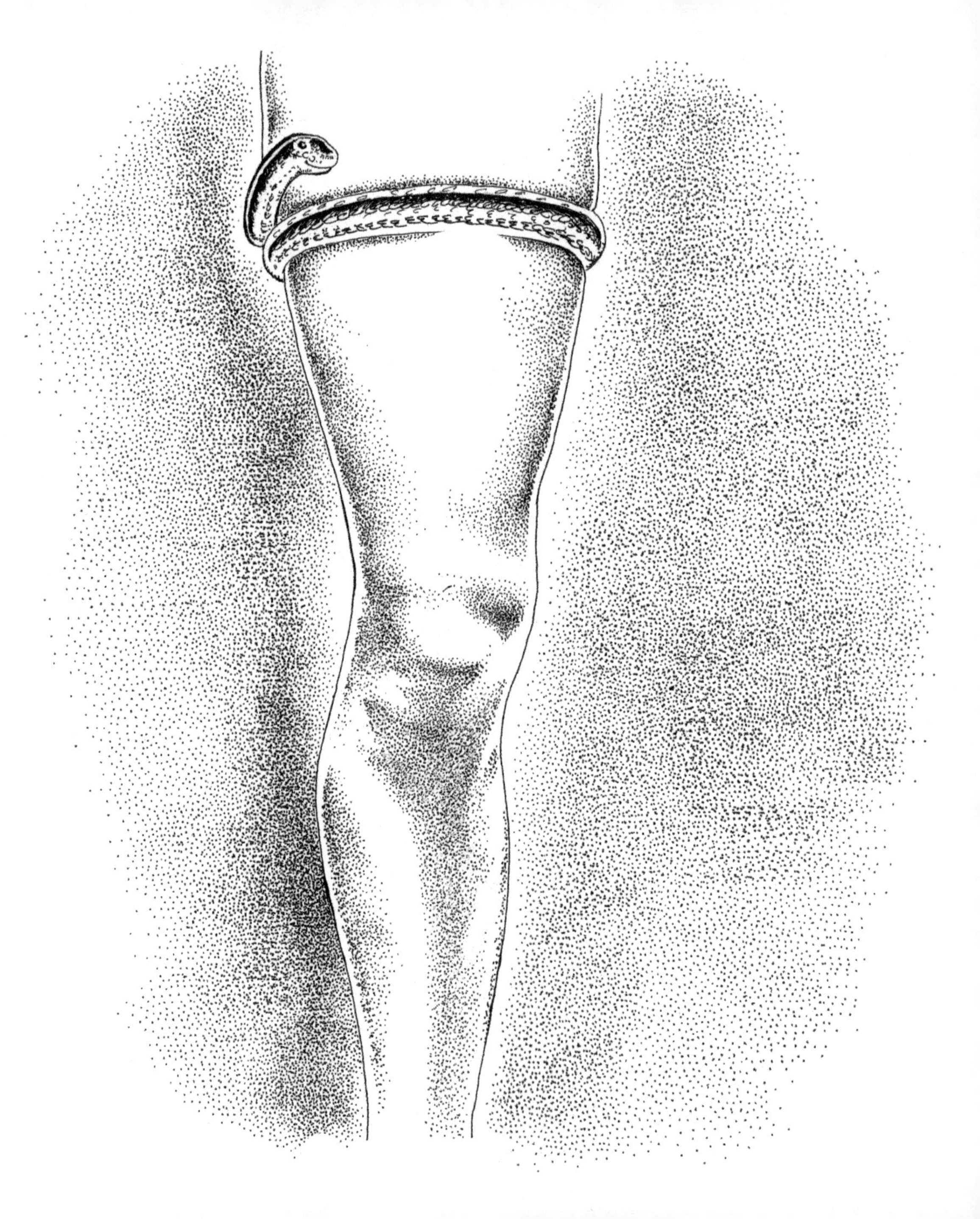

Champ

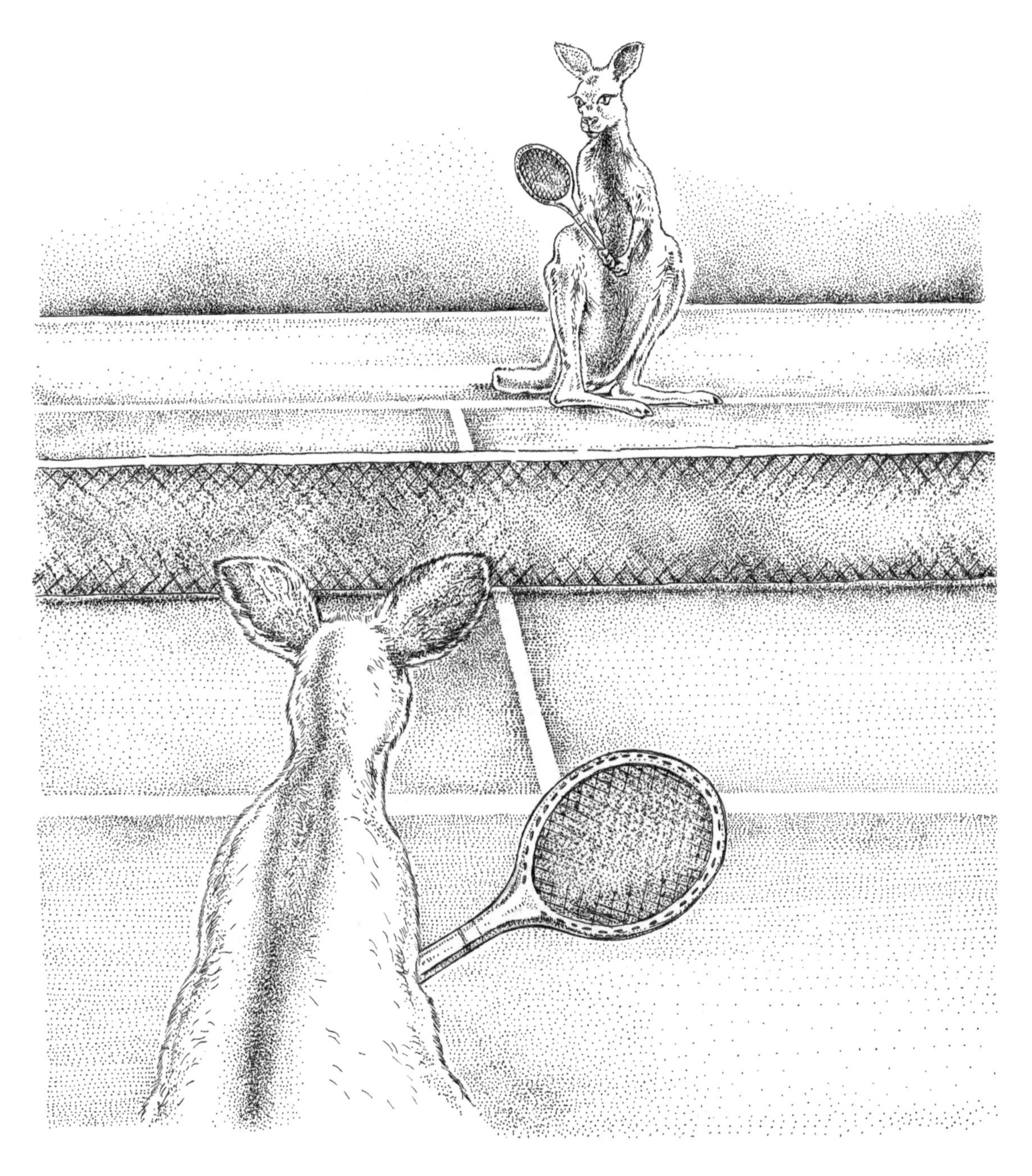

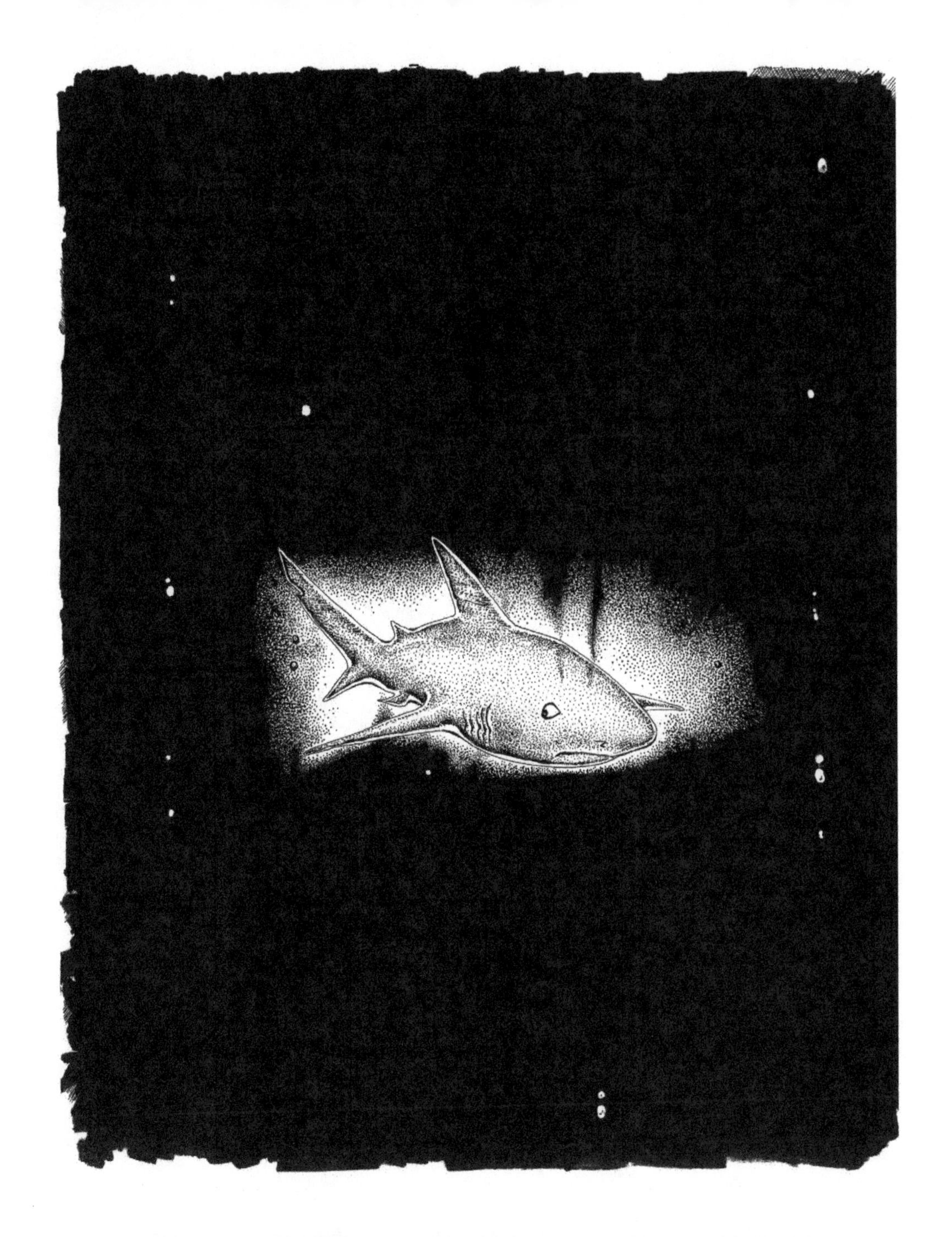

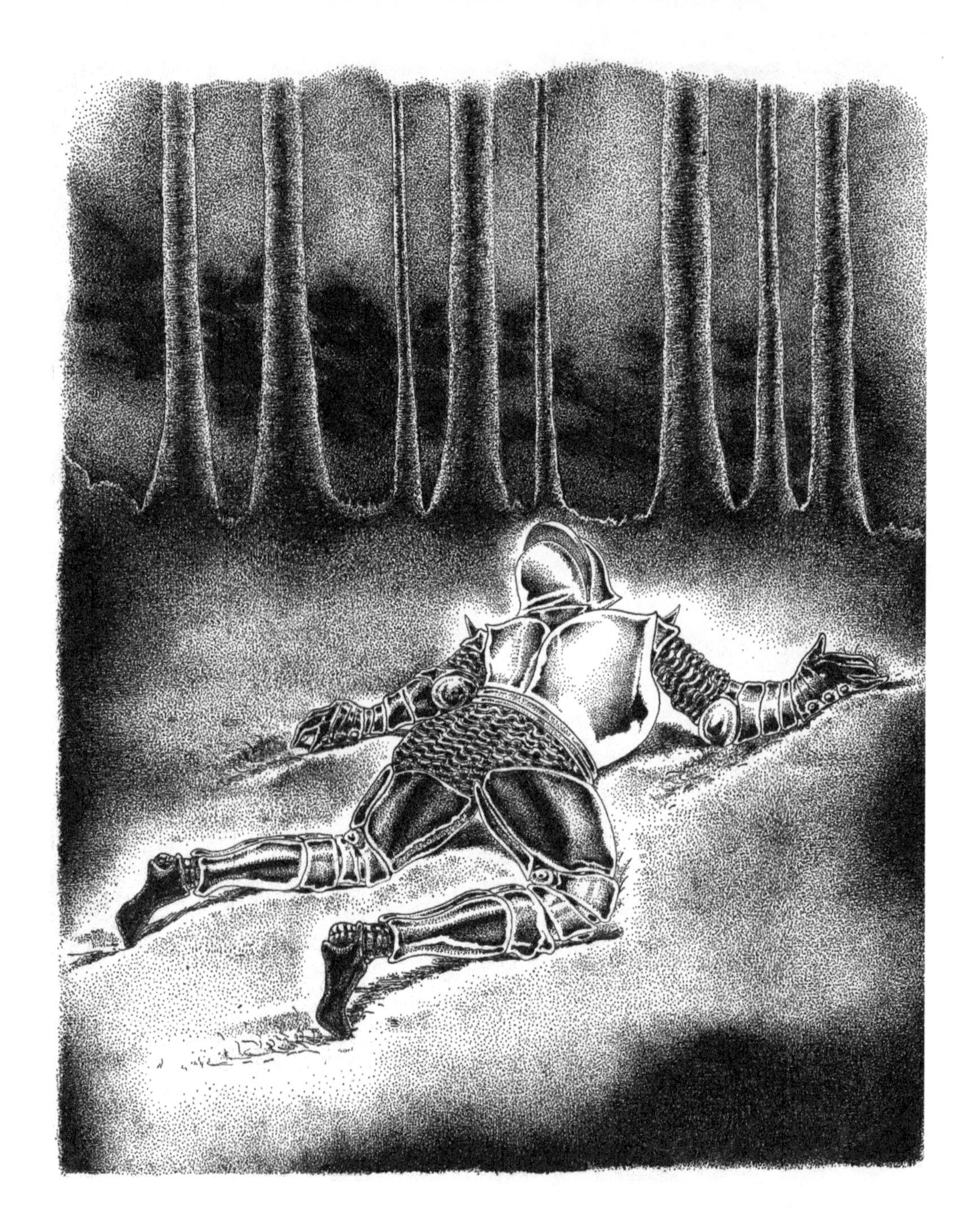

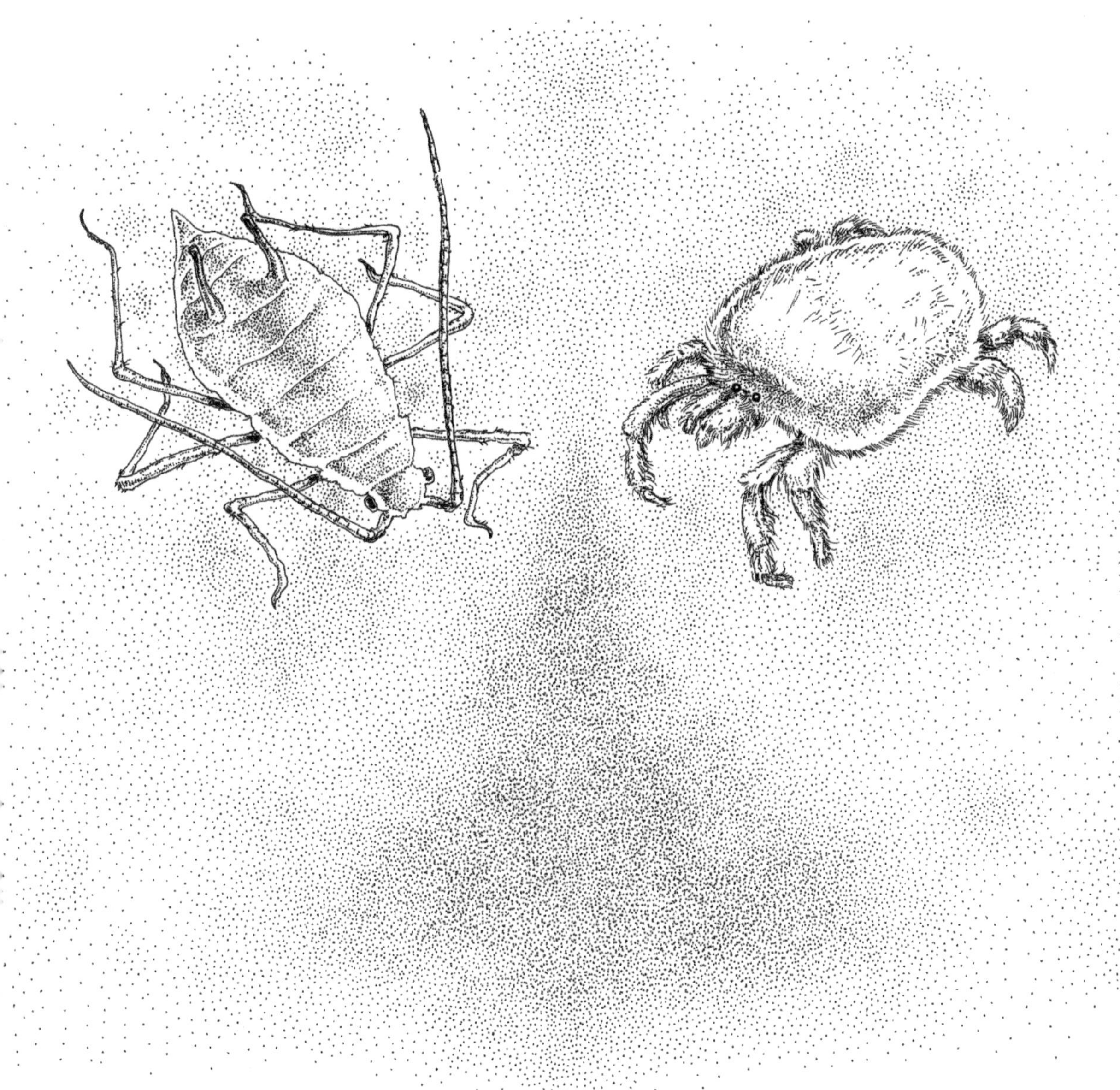

Rhesus' Place
BEER NUTS
Drafts 1.00
CAPUCHIN'S

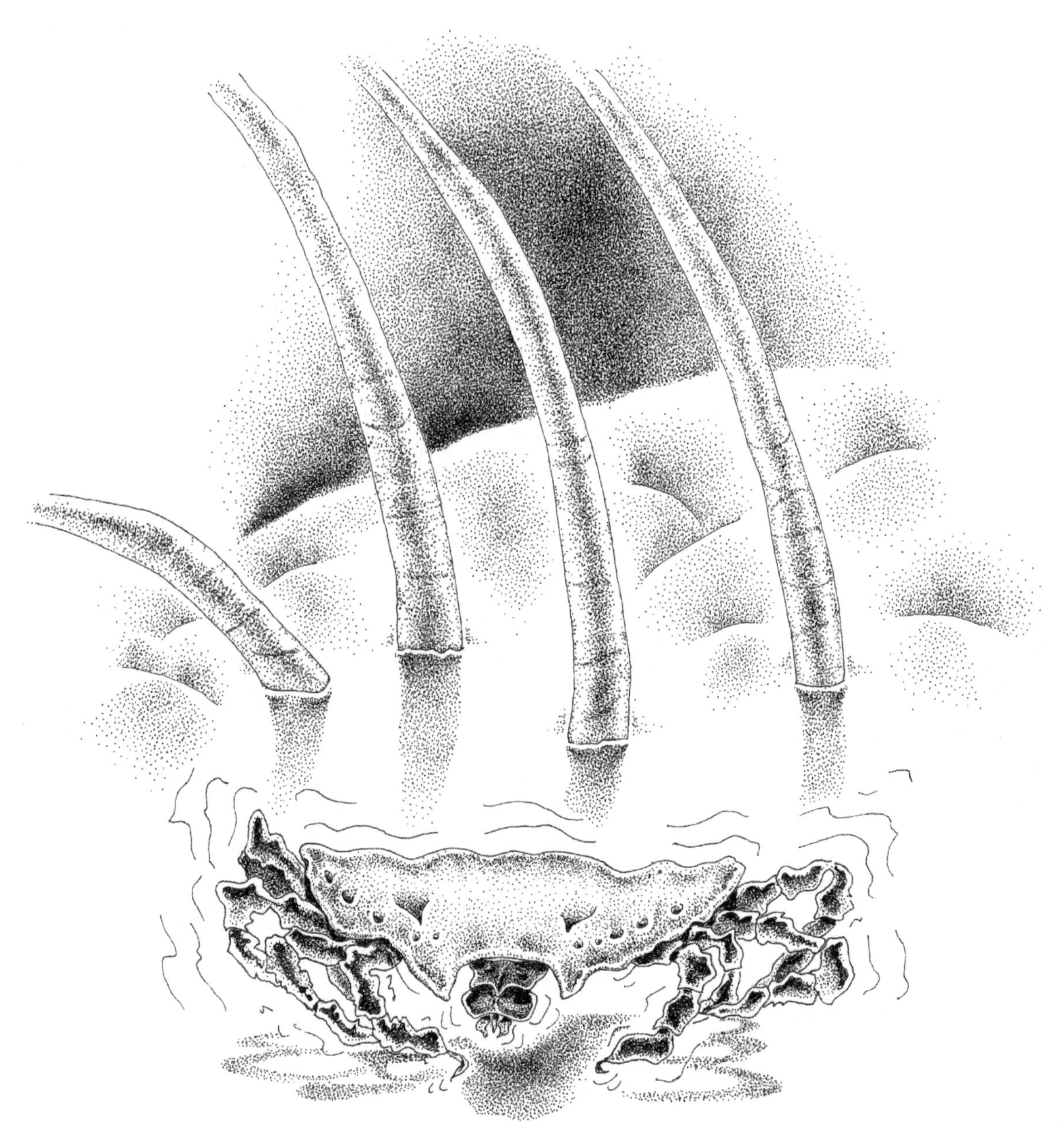

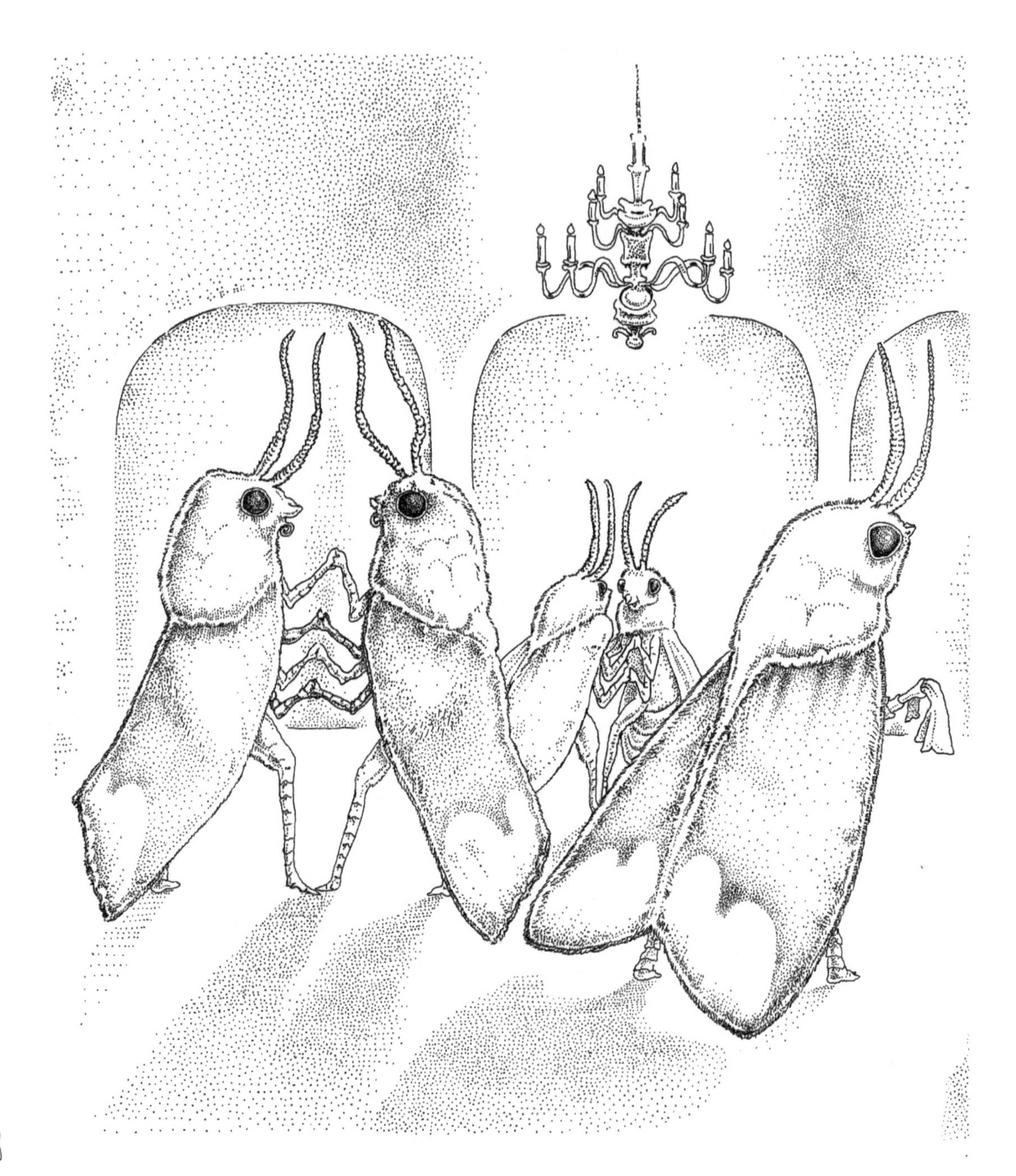

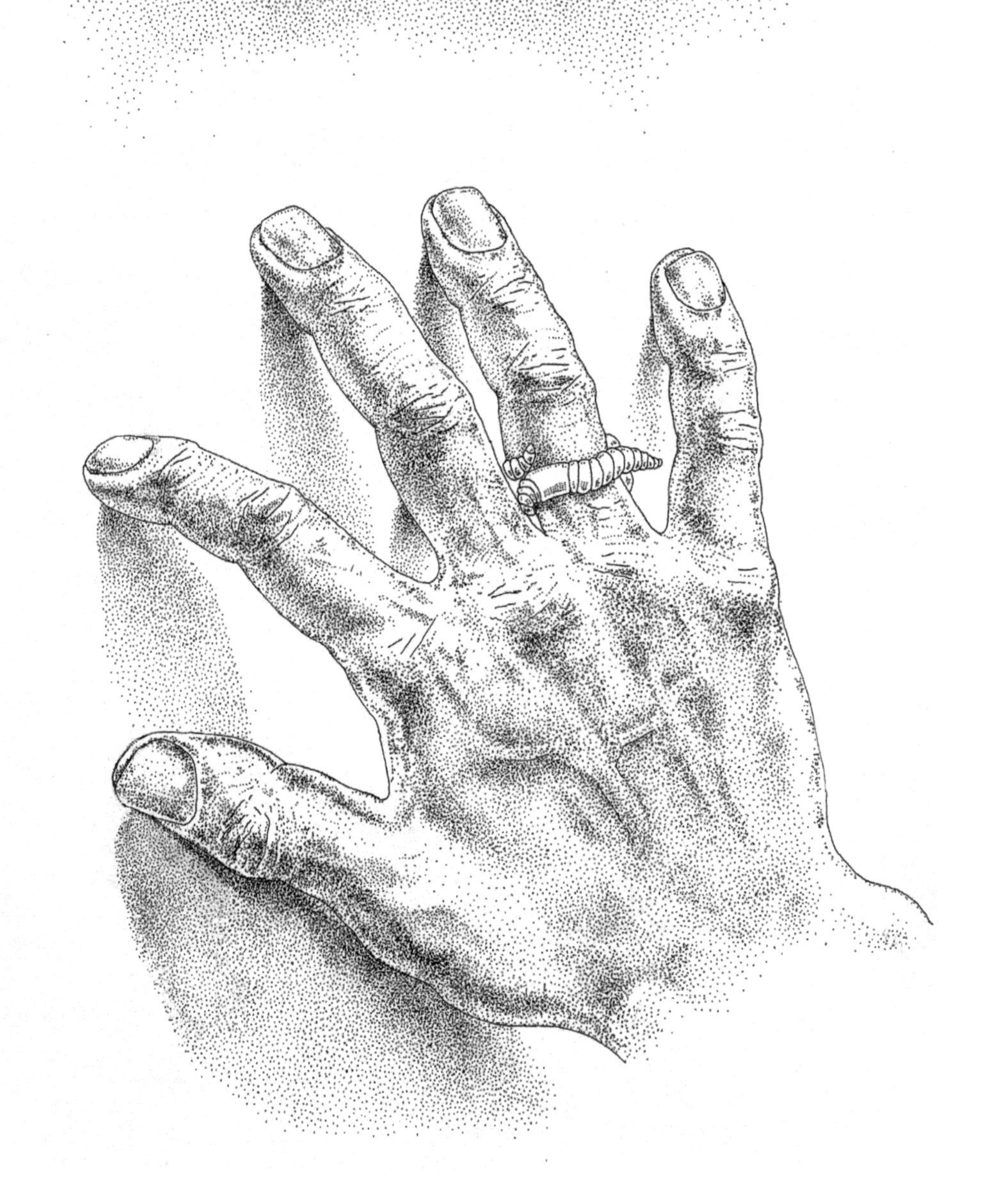

Deposits

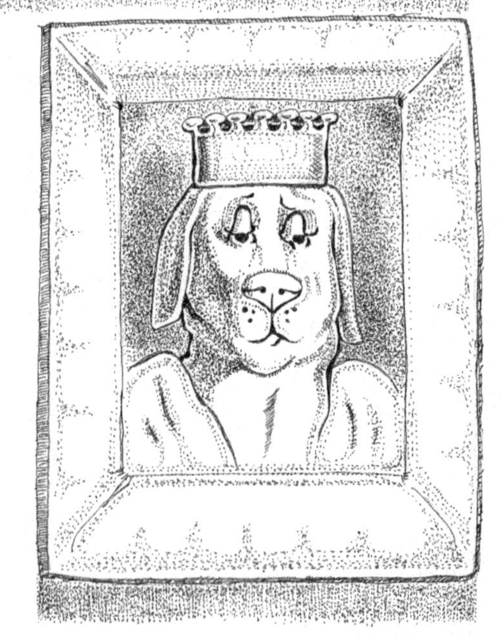

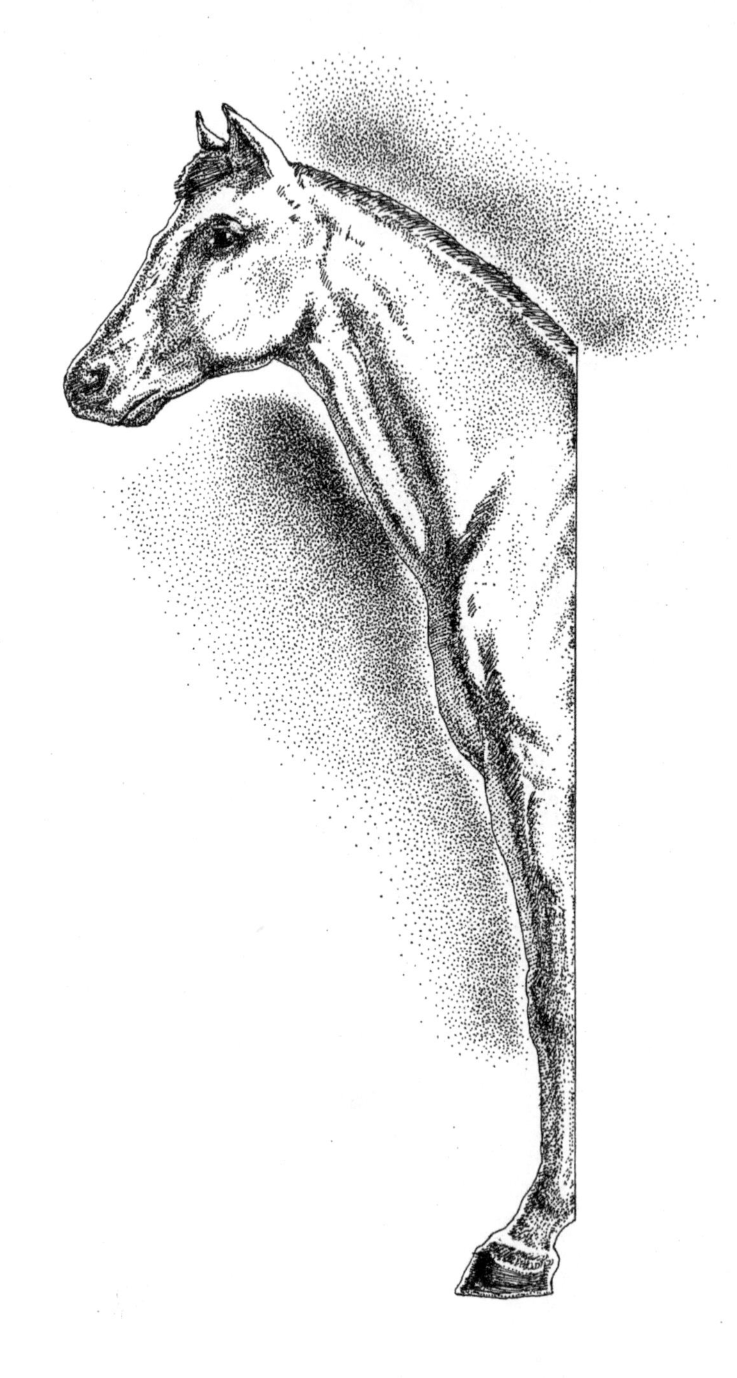

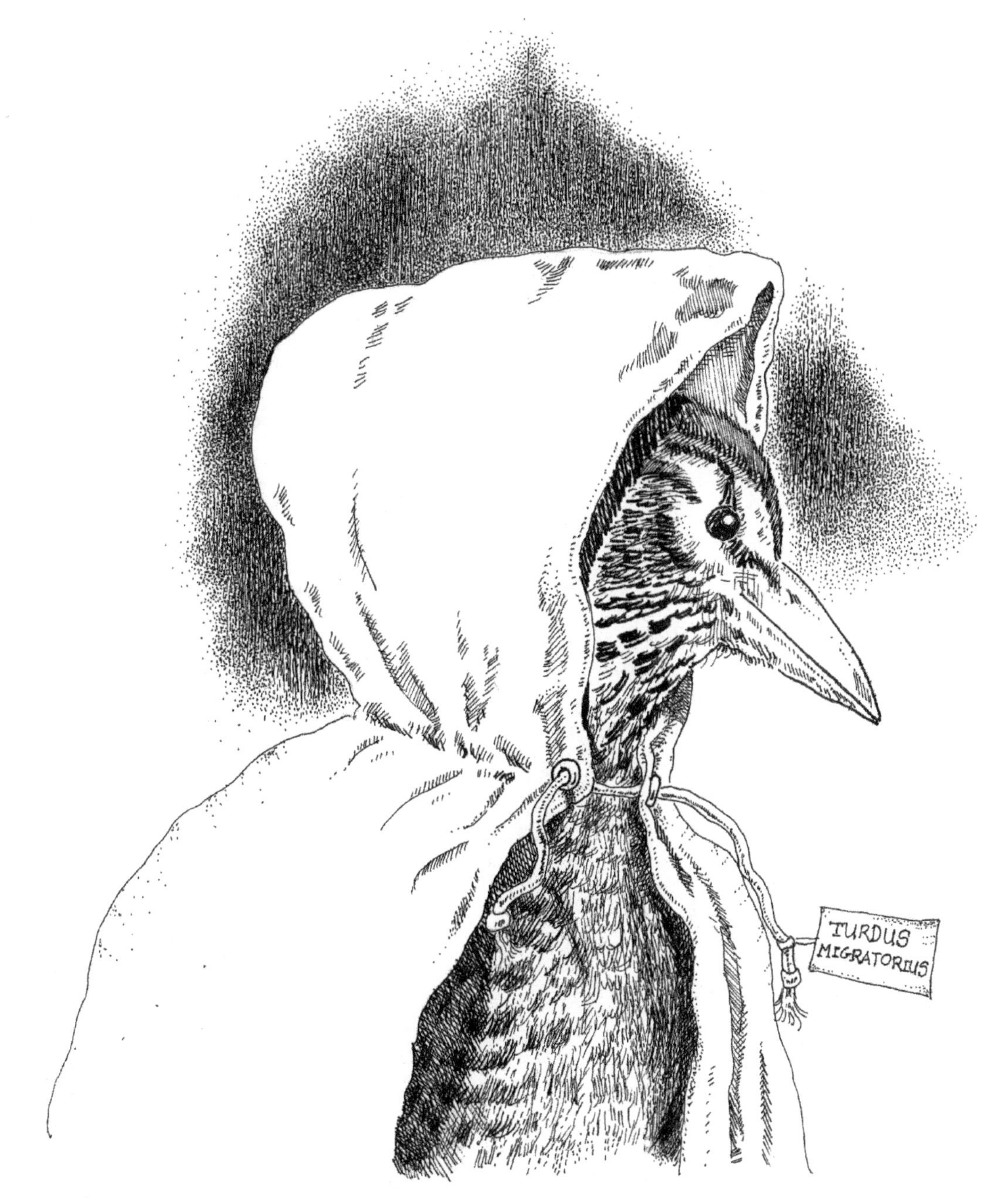
TURDUS
MIGRATORIUS

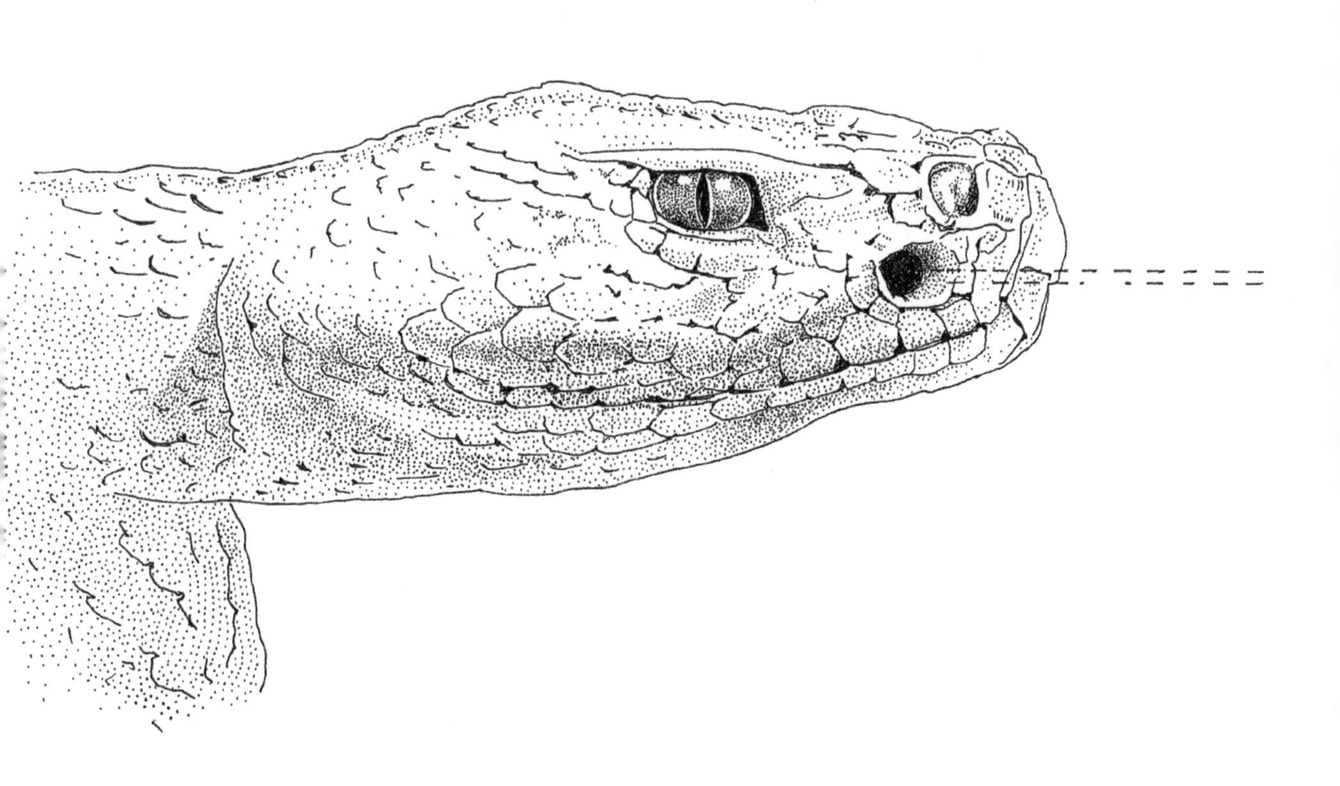

Bee

pub. Cygnus Inc. Music
Trumpeter Tom
Lyric by
L.Robin
Music by
C.Buccinator

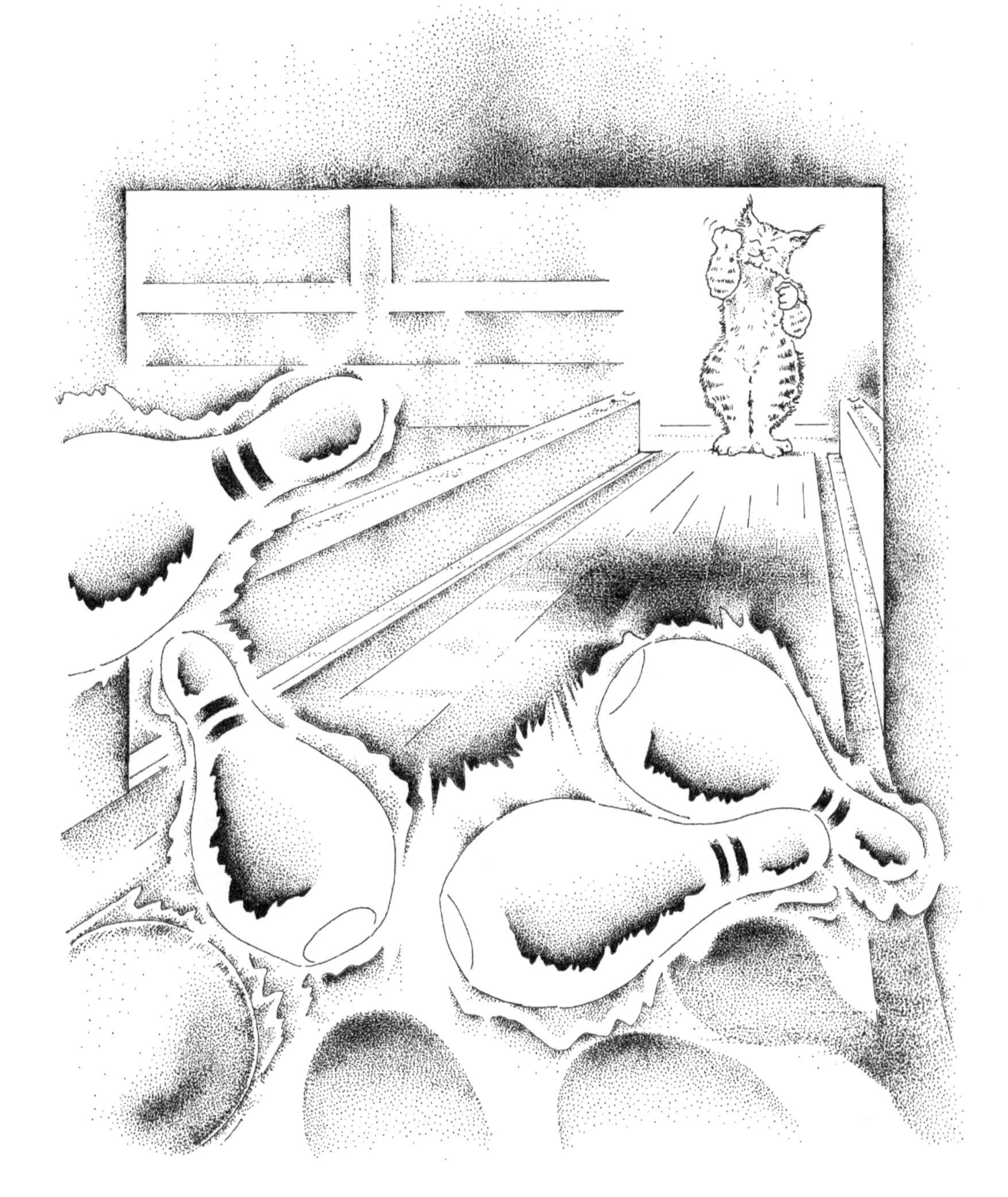

Pun-toon cheat sheet

(if you can't guess them on your own!)

Page 1: Adder
Page 2: Bat Boy
Page 3: Bear Witness
Page 4: Auk Ward
Page 5: Bad Gnus
Page 6: Bear Back Rider
Page 7: Bill Fold
Page 8: Bear Chest
Page 9: Bee Hind
Page 10: Bear Essentials
Page 11: Beetle Browed
Page 12: Bear Outline
Page 13: Bull Dozer
Page 14: Boxer Shorts
Page 15: Cat Scan
Page 16: Bull Session
Page 17: Chow Mane
Page 18: Cat's Pa
Page 19: Camel Lot
Page 20: Bull In A China Shop
Page 21: Cat O'Logs
Page 22: Cat Nip
Page 23: Card Shark
Page 24: Cold Turkey
Page 25: Cat Walk
Page 26: Clam Diggers
Page 27: Clam Bar
Page 28: Crab Apple
Page 29: Doberman Pincher
Page 30: Crab Grass
Page 31: Cub Reporter
Page 32: Crow Bar
Page 33: Crocodile Tiers
Page 34: Dog Mat Tick
Page 35: Flea Market
Page 36: Doe Conditioner
Page 37: Dog Catcher
Page 38: Dolly Llama
Page 39: Dog Pack
Page 40: Eating on the Fly
Page 41: Ewe Tree
Page 42: Dog Tic

Page 43: Ear Wig
Page 44: Duck Pin Bowler
Page 45: Fly By Knight
Page 46: Fly Wheel
Page 47: Fruit Fly
Page 48: Fowl Play
Page 49: Goat Tea
Page 50: Goose Bumps
Page 51: Fox Trot
Page 52: Hare Dresser
Page 53: Fly Off The Handle
Page 54: Garter Snake
Page 55: Gorilla Fighter
Page 56: Goose Down
Page 57: Hare Pin
Page 58: Hare Piece
Page 59: Holy Mackerel
Page 60: Hog Wash
Page 61: Hare's Breath
Page 62: Horse Radish
Page 63: Horse Around
Page 64: Horse Opera
Page 65: Hare Shirt
Page 66: Hart Warming
Page 67: Hog Tie
Page 68: Horse Trailer
Page 69: Kangaroo Court
Page 70: Lounge Lizard
Page 71: Lone Shark
Page 72: Knight Crawler
Page 73: Jay Walking
Page 74: Kid Napping
Page 75: Hot Dogs
Page 76: Knight Owl
Page 77: Jack Rabbit
Page 78: Lapp Dog
Page 79: Mite Is Right
Page 80: Monkey Bars
Page 81: Papal Bull
Page 82: Pig Roast
Page 83: Paws In The Conversation
Page 84: Pig Latin

Page 85: Nag Nag Nag
Page 86: Mussel Bound
Page 87: Nervous Tick
Page 88: Moth Ball
Page 89: Monkey Wrench
Page 90: Pig Iron
Page 91: Paws And Reflect
Page 92: Pup Tent
Page 93: Rain Deer
Page 94: Ring Worm
Page 95: Piggy Bank
Page 96: Reigning Cats And Dogs
Page 97: Pop Fly
Page 98: Quarter Horse
Page 99: Pig Sty
Page 100: Pigeon Towed
Page 101: Pigeon Coupe
Page 102: Playing Possum
Page 103: Restrictive Claws
Page 104: Sitting Duck
Page 105: Stable Relationship
Page 106: Stag Party
Page 107: Robin Hood
Page 108: Seal With A Kiss
Page 109: Shrimp Cocktail
Page 110: Slug Fest
Page 111: Safety Seal
Page 112: Round Robin
Page 113: Snake Pit
Page 114: Spelling Bee
Page 115: Star Fish
Page 116: Splitting Hares
Page 117: Turtle Dove
Page 118: Street Urchin
Page 119: Swan Dive
Page 120: Swan Song
Page 121: Vel Crow
Page 122: White Elephant Sail
Page 123: Whale Blubber
Page 124: Wide Tern
Page 125: Wildcat Strike
Page 126: Yak Yak Yak
Page 127: Hart To Hart Talk